Susanne Bohne / Hallo liebe Wolke

Wilma Wochenwurm
Eine Geschichte für die Schultüte

Zum Schulstart

Dieses Buch gehört

DER ERSTE SCHULTAG

Morgen ist ein ganz besonderer und ein ganz besonders aufregender Tag:
Emmi Strauß, Lola Maus und Püthi Schlange kommen in die Schule!

Lola Maus ist sehr gespannt und konnte

die halbe Nacht nicht schlafen. Immer wieder hat sie darüber nachgedacht, wie es in der Schule wohl sein wird und ist ganz neugierig, welche neuen Tierkinder sie kennenlernen wird. Außerdem findet sie ihren Schulranzen so wunderhübsch, dass sie es gar nicht abwarten kann, ihn endlich stolz auf dem Rücken zu tragen.

Emmi Strauß freut sich schon seit vielen Wochen auf die Schule. Denn sie möchte ganz unbedingt eine Menge lernen.

Emmis großer Bruder, der schon in die zweite Klasse geht, kann bereits ganz gut lesen, rechnen und schreiben. Und das möchte Emmi auch sehr gern können.

**Nur einer freut sich leider
überhaupt nicht.**

Püthi Schlange hat sich ganz fest zusammengerollt und möchte nicht in die Schule gehen. Er hat nämlich ein bisschen Angst, dabei ist er doch schon total groß und mindestens drei Meter lang. Aber heute fühlt er sich klein wie ein Regenwurm. Püthi ist immer schon eine sehr vorsichtige Schlange gewesen und er findet Dinge, die er noch nicht kennt, ein wenig zum Fürchten.

Die Schule kennt er ja auch noch nicht und außerdem war er neulich mit seiner Mama beim Augenarzt. Püthi kann zwar außergewöhnlich gut riechen, vor allem mit seiner Zunge, worauf er schon ein bisschen stolz ist. Aber sehen, das kann Püthi eben nicht so gut wie andere Tiere, und deswegen sagte der Augenarzt, dass Püthi eine Brille bräuchte. Vor allem für die Schule bräuchte er sie, damit er auch richtig lesen und schreiben lernen kann.

Püthi will aber keine Brillenschlange sein. Und deswegen
möchte er morgen auf gar kei-
nen Fall in die Schule gehen.
Lieber versteckt er sich, denkt
er. Und so schlängelt er los, um
ein Versteck zu suchen.
Ganz leise schleicht sich Püthi
fort, so leise, dass ihn niemand
bemerkt.

*Kannst du auch lei-
se wie eine Schlange
schleichen? Probiere
es doch mal aus!*

Eine Weile später beschließen Emmi und Lola Püthi zu besuchen, das machen sie immer nach dem Mittagessen. Dann spielen sie und verbringen den ganzen Nachmittag miteinander, weil die Freunde das gern tun.

Heute aber ist Püthi gar nicht auf seinem Ast, dort, wo er immer auf Emmi und Lola wartet.

„Das ist aber seltsam.", meint Lola und auch Emmi wundert sich.

Sie warten ein bisschen, und suchen zwischen den grünen Blättern, hinter denen sich Püthi manchmal versteckt und leise kichert. Aber Püthi taucht nirgendwo auf.

„Komm, wir gehen ihn suchen!", schlägt Emmi vor.

Und so huscht Lola auf Emmis Kopf, damit sie beide von weit oben die Schlange Püthi besser finden können.

Wo versteckst du dich am liebsten?
Male hier ein Bild von deinem besten Versteck!

Püthi aber, der hat sich verkrochen. Schlangen können das gut, sie sind die Weltmeister im Verstecken.

„Püüüthi! Püüüthi!", rufen Emmi und Lola, aber Püthi möchte nicht gefunden werden.

Püthi möchte eigentlich, dass alles so bleibt, wie es ist. Er möchte lieber für alle Zeiten in den Kindergarten gehen. Und nicht in die Schule. Obwohl er schon neugierig ist, wie es in der Schule sein wird, und was man dort alles lernen kann.

Und eigentlich, denkt Püthi, werden seine Freunde Lola und Emmi ihn ja in die Schule begleiten. Da kann ihm doch gar nichts passieren. Trotzdem bleibt Püthi lieber noch ein Weilchen hinter dem Stein in der Sonne liegen und hofft, dass seine Freunde ihn nicht entdecken. Dann kichert er ein bisschen, weil das Versteckenspielen Spaß macht.

Und dann hat Püthi eine gute Idee, wo er sich noch besser als hinter dem Stein verstecken kann. Und schon schlängelt er los.

Entdeckst du Püthi?
Fahre seine Schlängelspuren nach!

Im Dickicht des Dschungels wird Püthi fast unsichtbar, denn er ist ja
genauso grün wie die Blätter. Emmi und Lola suchen und suchen und
suchen, aber finden können sie Püthi nicht.

Entdeckst du Püthi?
Und was steckt denn da noch zwischen den Zweigen und Blättern?
Kreise alle Buchstaben ein, die du findest.
Weißt du schon, wie sie heißen?

Super, du hast Püthi und die Buchstaben gefunden!
Kannst du schon deinen Namen schreiben?
Hier ist ganz viel Platz, um es zu probieren.

Hier kannst du ein Foto von
dir in den Rahmen kleben -
oder du malst dich hinein.

Wie alt bist du?

.... Jahre

Wie groß bist du?

.... cm

Was möchtest du werden, wenn du groß bist?

....

Hast du ein Lieblingstier? Welches ist es?

....

Irgendwann hat Püthi keine Lust mehr, allein im Baum zu hängen. Er möchte lieber mit seinen Freunden spielen. Also schlängelt er umher und sucht nun Emmi und Lola. Er kann ja nicht wissen, dass sich die Freundinnen in den Schatten gesetzt haben und sich über den großen Einschulungstag unterhalten. Ein bisschen traurig sind sie allerdings schon, weil Püthi so gar nicht aus seinem Versteck kommen will, aber Lola Maus und Emmi Strauß sind sicher, dass Püthi irgendwann genug davon haben wird, sich zu verkriechen. Die Freunde kennen sich schon gut und akzeptieren einander, wie sie eben sind.

Püthi aber sucht nun seinerseits nach seinen Freunden, aber, weil er ja nicht so gut schauen kann, findet er sie nicht. Schnell schlängelt er nach Hause und bittet seine Mama, ihm seine Brille zu geben. Püthis Mutter ist erst sehr überrascht, aber sie setzt ihm gern die hübsche Brille auf die Nase. Und - Schwupps - kann Püthi viel besser sehen.

Es ist ziemlich toll, denkt Püthi, alles ganz genau sehen zu können.
Und so kriecht er mal hier hin und dann dort hin. Er schaut den Ameisen
eine Weile zu, wie sie lustig über den Dschungelboden marschieren.

Leise zählt er sie:
1...   2...   3...   4...

1.   Wie weit kannst du schon zählen?
        Fang doch bei der EINS an und zähl so weit du kommst!

2.   Kannst du auch schon Zahlen schreiben?
        Versuch es doch mal hier:

....

....

....

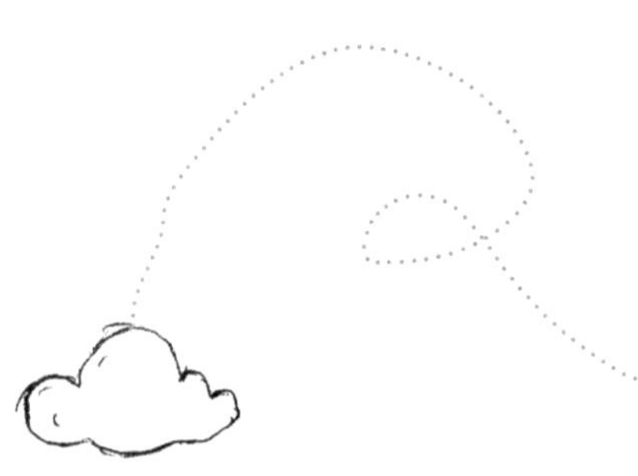

Püthi zählt und zählt und zählt. Er kommt auf eine Menge Ameisen, aber bei 27 weiß er nicht mehr weiter.

„Hmmm…" denkt Püthi „vielleicht wäre es doch gar nicht so schlecht, in die Schule zu gehen. Dann könnte ich bestimmt eine Millionen und zwei Ameisen zählen. Und dann wüsste ich auch, was nach der 27 kommt! Aber bestimmt lachen mich alle wegen meiner Brille aus… eine Schlange mit einer Brille… das ist soooo blöd!"

Bevor sich Püthi wieder beleidigt verschlängeln kann, haben ihn Emmi und Lola entdeckt, die ganz in der Nähe unter dem Baum saßen.

„Püüüüthi! Da bist du ja endlich wieder!", rufen sie.

„Hey! Du trägst ja deine Brille! Klasse!", sagt Lola Maus und klettert auf Püthis Kopf, um sich die Brille von Nahem anzusehen.
„Die steht dir echt gut.", sagt auch Emmi Strauß.
„Mh. Mh.", zischelt Püthi Schlange und er ist sehr froh, seine Freunde zu haben. „Vielleicht wird das mit der Schule ja doch nicht so schlecht.", sagt er. Und dann sind alle auf den Einschulungstag ganz gespannt.

Die drei Freunde sind sehr aufgeregt und freuen sich wie wild auf die Schule. Selbst Püthi. Der ja nun weiß, dass er mit seiner Brille viel besser Ameisen zählen kann.

Immer mehr Tiere fliegen und laufen, klettern und schlängeln am Einschulungstag auf dem großen Weg, der schnurstracks zur Tiergrundschule führt. Alle reden und tuscheln und zeigen sich ihre Schultüten und die tollen Schulranzen.

„Hey, du da! Brillenschlange!", zischelt auf einmal jemand Püthi zu. Der bekommt einen gehörigen Schreck, weil er sich doch gerade an seine Brille gewöhnt. Und jetzt sagt jemand Brillenschlange zu ihm? Ha! Er ist doch ein Python. Und keine Brillenschlange!

Püthi schlängelt sich auf den nächsten Baum, weil er eben ein bisschen schreckhaft ist. Aber dann sieht er zwei andere Schlangen vor dem Schulwegweiser. Es sind die Zwillinge Nina und Nico.

„Schau mal!", Nina, die Kobra, dreht sich um, so dass Püthi ihren Rücken sehen kann. „Wir sind auch zwei Brillenschlangen! Siehst du?"

„Wow!", staunt Püthi und klettert vom Baum. „Das ist ja super. Und ich dachte, ich wäre der einzige hier."

„Ach was!", sagt Nico. „Brillenschlangen sind gar nicht so selten. Und außerdem ziemlich toll."

„Mäuse und Strauße aber auch!", sagt Püthi. Und dann lachen alle gemeinsam bis die Schulglocke zu ihrer allerersten Stunde läutet.

Noch lange werden sich die Freunde an diesen aufregenden und

wunderschönen ersten Schultag erinnern. Und einer, der sich erst gar nicht gefreut hat, kann es von nun an kaum erwarten, jeden Tag in die Schule zu gehen, um richtig viele Ameisen zählen zu können. Wer das wohl ist?